小皮斯凯的

第一次旅行

二木真纪子 文/图　张 燕 译

21 二十一世纪出版社
21st Century Publishing House

初夏的一个早晨，天气晴朗朗的，皮斯凯的心情也晴朗朗的。她一遍又一遍地检查行装，问了许许多多要记住的事情。

爸爸说："爸爸和妈妈，还有我们的爸爸和妈妈，像你这么大的时候，就一个人出去旅行，寻找自己住的地方啦！那时候最重要的，就是要有礼貌地跟邻居打招呼，当树木和河流说'同意'，你就可以住在那儿了。"

皮斯凯的哥哥、姐姐不久前都离开了家，还寄回来很多让人高兴的信。皮斯凯也答应爸爸妈妈：要在信里告诉他们好多好多开心的事儿。

和家人拥抱了又拥抱，皮斯凯终于出发了。

“自己找自己的房子。”皮斯凯嘟哝着，她的心怦怦直跳，觉得好事情都在后面等着她呢！她走了一天又一天，穿过森林，越过河流，翻过山丘，看到了许多从来没有看过的东西，有时也不免遇到一些可怕的事情。

这天，皮斯凯惊喜地发现：两座山丘之间有一块好大好大的平原！

啊！多么清爽的风啊！那闪闪发光的，是河流吗？那高高隆起的，是小镇吗？皮斯凯飞快地跑下山去。

皮斯凯走近一看，不禁大吃了一惊：哇，这么多房子——她过去想都不敢想的！

“我要在这里住下来，然后写封信回家。大家一定会很吃惊吧！”

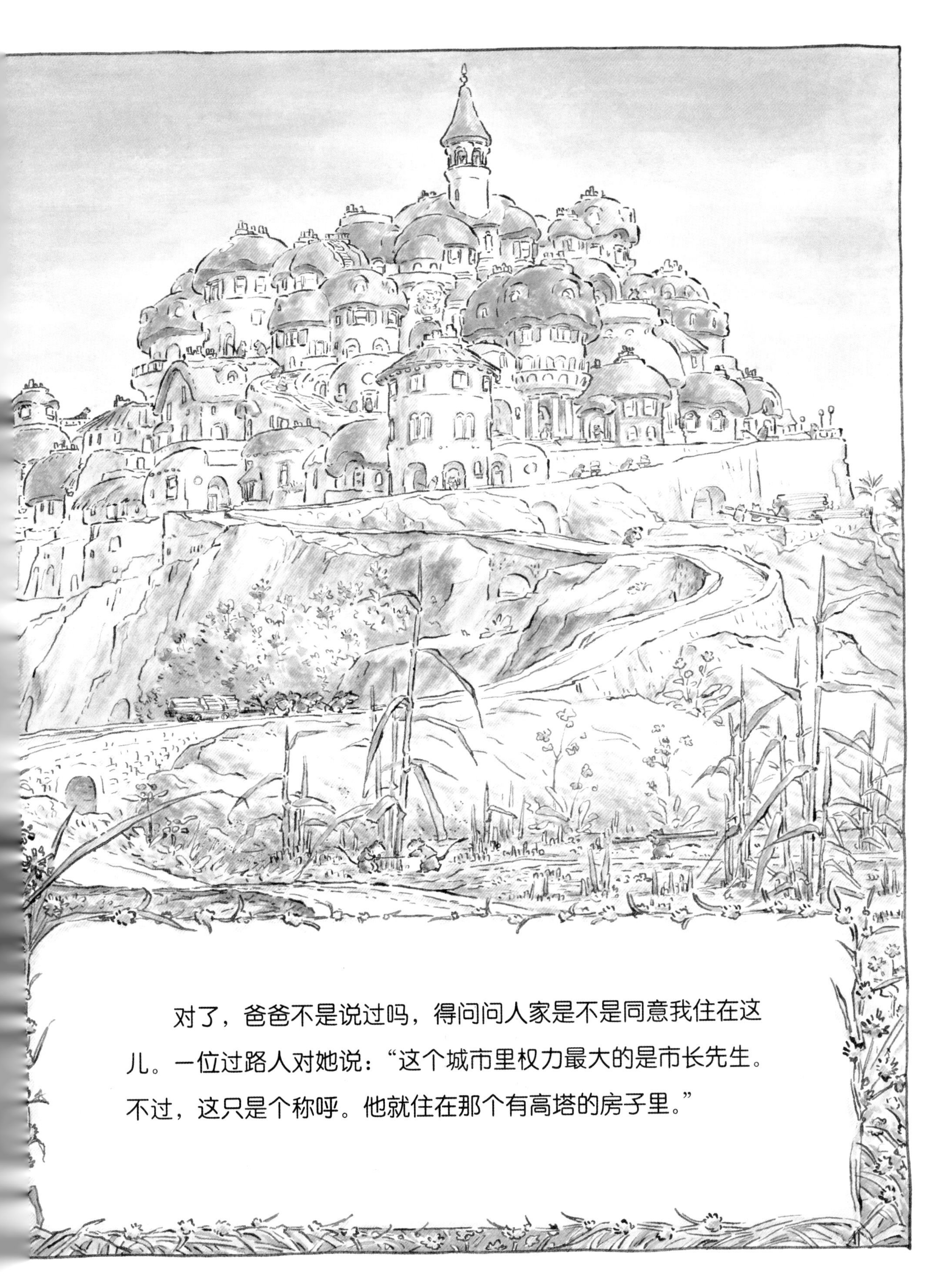

对了，爸爸不是说过吗，得问问人家是不是同意我住在这儿。一位过路人对她说：“这个城市里权力最大的是市长先生。不过，这只是个称呼。他就住在那个有高塔的房子里。”

来来往往的行人，漂漂亮亮的衣服，让人流口水的糕点……

皮斯凯越来越喜欢这个地方了！

这位是市长先生，他看上去不太和善。

皮斯凯胆战心惊地问："市长先生，我可以住在这里吗？"

市长先生说："不行，这个城市里再也住不下外人了！"

可是，皮斯凯还是想住在这里。她走啊走啊，找到了一块空地。

“哼，市长先生骗人！地方有的是嘛！”皮斯凯马上支起了帐篷。

没想到……

很快，好多人围了过来，一位穿着漂亮衣服的太太还递过来一块面包——他们把皮斯凯当成乞丐啦！皮斯凯的脸一下子红到了耳朵根，胡子也火辣辣的。

一个凶巴巴的男人走过来，叫皮斯凯从这里滚开。皮斯凯趁机收起帐篷离开了。

郊外已经漆黑一片，不过，幸好有萤火虫照着路，所以皮斯凯一点都不害怕。

那天晚上，皮斯凯总算在灌木丛中找到了一小块可以支帐篷的地方。晚饭她吃了点野果，然后就望着篝火发起呆来。

不一会儿，她听到了各种各样的声音：露珠从树叶上滴下来的声音，小虫子轻轻鸣叫的声音……

“这里才让人感到安宁呢。”这么想着，她就放心了，“明天，再往河上游走走看吧。”

第二天，皮斯凯爬到了一块高高的大岩石上，在那里可以隐隐约约地看到远处。皮斯凯很喜欢这个地方。

她又想起了爸爸的嘱咐，就问："我可以住在这里吗？"回答她的，是风穿过岩石缝发出的"嗖嗖"声。

咦，风到底在说些什么呢？嗯，一定是在说："可以呀！可以呀！"

皮斯凯在岩石的缝隙中支起了帐篷。可是……

傍晚，风越刮越大，眼看着帐篷就要被刮跑了。

原来，这里正好是风经过的地方，我可不该打搅他呀！

皮斯凯只好继续往上游走去。

不久，在小河的分岔口，她发现了一个洞穴，看起来很不错。从树叶间透进来的阳光非常舒服，河面上吹来的风很凉爽，而且洞穴的大小也正合适。

皮斯凯喜欢上了这个地方。

不过这次，她把爸爸的话全忘啦！

皮斯凯把洞穴打扫了一下，铺上稻草，还安了一扇用小树枝编成的门。新家好舒服哟！

过了十多天，狂风“呼呼呼”地刮了起来，野草被吹得沙沙作响，大颗大颗的雨点也“噼里啪啦”地落了下来。

开始的时候，皮斯凯并不在乎，可是后来……

河水不停地涨啊涨啊，终于灌进洞里了。这可不是闹着玩的呀！皮斯凯急忙收拾行李往外跑。

突然，一个大浪“哗”地打过来，把皮斯凯卷进了河里，她在河里“骨碌骨碌”翻滚着被冲走了。

皮斯凯拼命挣扎着，耳朵、眼睛和嘴巴都被水堵住了，好难受啊！她“哗啦哗啦”划着水，这时，背包“呼”的一声张开了，帐篷被冲跑了，盘子、水壶、蜡烛……也一样样不见了。

皮斯凯费了好大力气，才抓住一块烂木头爬了上去。木头上已经有好多虫子了，他们薄薄的翅膀被淋得湿漉漉的。水面上还漂着一些虫子，皮斯凯竭尽全力把他们捞了上来。

皮斯凯的怀里是瘪瘪的背包和湿漉漉的虫子们，周围是雨滴、水花和冷风。

不久，一只萤火虫闪着微弱的光飞了出来，也许是他的翅膀被皮斯凯的体温捂干了吧。

这时，烂木头被
草缠住了。皮斯凯急
忙抱着虫子跳下来，
去追赶那只萤火虫。

大雾中，隐隐约约地可以看见灌木丛中有一棵好大好大的树，树洞口有一扇门。皮斯凯想：一定有人住在那里，求求他，他会让我们避避雨的。她拼命地跑了过去。

“您好！打扰一下——”皮斯凯喊了一声，可是没人回答。房子里空荡荡的，又黑暗又阴冷，但起码还算干燥。皮斯凯提心吊胆地走了进去，关上门。

房子里到处都是灰尘，家具也很破旧。而且，风从树枝间穿过，发出“呜呜”的声音，真像鬼屋啊！皮斯凯全身的毛都竖了起来。

皮斯凯从背包里找出引火盒，可是里面全都湿了，根本点不着。皮斯凯只好把碎稻草搂到一起，用来“咯哧咯哧”地擦着身体，虽然弄得到处尘土飞扬，可这总比浑身湿漉漉的好多啦！

夜色降临了，不管皮斯凯怎样睁大眼睛，她还是什么都看不见。
暴风雨的呼啸声越来越大，皮斯凯觉得自己快要被压垮了。
就在这时，她的眼前出现了几个亮点，然后越来越多、越来越亮……

原来，是皮斯凯带来的萤火虫在发光呀！他们像跳舞似的飞来飞去，皮斯凯看得入了神，再也不觉得害怕了。

暴风雨终于停了，皮斯凯把虫子们放了出去。

虫子们在门口飞舞了一阵，就消失在天空中了。

天色已经发亮，皮斯凯长长地舒了一口气。

看来，今天是个好天气。

太阳出来了，皮斯凯爬上树，向四周眺望。

暖洋洋的阳光照耀着大地，凉爽爽的风轻柔地抚摸着她。

皮斯凯想：这里正是我安家的地方啊！

皮斯凯问大树：“我可以住在这里吗？”

树叶发出“沙沙沙”的声响，好像在说：“可以呀！可以呀！”

皮斯凯回到屋里，看了看床底下和柜子底下……她发现了很多宝贝：生锈的斧子、带缺口的盘子、掉了柄的锅、被虫子蛀了的床单……

另外，背包里还有引火盒、刀子、针线包和一罐没有开封的茶叶。把这些东西全部摆在一起后，皮斯凯说："我的东西还真不少呢！"

为了把房子弄得舒服些，皮斯凯花了好几天时间。烟囱里满是烂树叶，还有很多虫子做的窝，地板上的灰尘也积得有皮斯凯的膝盖那么高！

要干的事情实在是太多啦！

现在，房子终于变得又干净又整齐了。皮斯凯打开了那罐茶叶，要好好地庆祝一下。茶叶的香味在屋子里慢慢地飘出来，飘得满屋子都是。

“明天，我要到镇上去，问问能不能用干果换点信纸。”皮斯凯一边想着，一边慢慢地品着茶。

皮斯凯从父母的保护伞独立出来，一个人上路，经历了许多从来没有经历过的事情。她遇到人际的、自然的种种困难，但总是充满好奇心和积极心，虽然有时感到孤独、害怕，但是又能马上找出事物的好的一面，勇敢地往前走。爸爸那句含蓄的嘱咐，在她为安家所经受的一连串折磨中得到反复的体现，那些爱护小动物、尊重自然的行为，最后成为了一种安慰和拯救，让我们感到发自心底的满意。小读者可能不会马上明白这些内涵，也没必要刻意地让孩子去意识到这些。因为，富有营养的精神食粮，只要吃得开心即可，不一定非要了解其中包含着什么营养，因为它会不知不觉地起作用。

二木真希子（FUTAKI, Makiko）

日本爱知教育大学美术专业毕业，曾在Telecom动画制作厂从事动画片美术工作。现在在宫崎骏设立的吉卜力工作室（Studio Ghibli）担任动画片原画工作，同时发表儿童读物作品。主要作品有《世界中间的树》、《精灵守护人》（插图）等。

张燕

1976年生于黑龙江省齐齐哈尔市，南京国际关系学院日语语言文学专业硕士研究生毕业后，任教于本校的日语教研室，现为后勤指挥学院博士研究生。主要译作有《世界动物遗产》系列丛书第二册南美分册（中国少年儿童出版社）、《福尔摩斯探案集》系列丛书第三册（新蕾出版社）等。

蒲蒲兰绘本馆 小皮斯凯的第一次旅行
[日] 二木真希子 文／图 张燕 译

责任编辑：杨文敏（美术） 章春怡（文字）
出版发行：二十一世纪出版社（南昌市子安路75号）
出 版 人：张秋林
经　　销：新华书店
印　　制：凸版印刷（深圳）有限公司
版　　次：2005年9月第1版 2005年9月第1次印刷
印　　数：1−5,000册
开　　本：889mm×1194mm 1/16
印　　张：2.5
书　　号：ISBN 7-5391-3156-X / I · 770
定　　价：24.80元